[最新版]

主编　张为才

青 島 出 版 社

- 读圣贤书
- 立君子品
- 做有德人

随着人们对“国学启蒙运动”的关注，国学启蒙经典读物风靡全国。权威人士认为，很有必要专为学龄前儿童编选一套该类图书。展现在您面前的这套“国学小书坊”，就是我们基于这一考虑而新推出的一套小书。

这套书共包括《三字经》《百家姓》《千字文》《弟子规》《背唐诗》《背古诗》《学成语》《读寓言》《背〈老子〉》《读〈论语〉》《神童诗》《对对联》十二种蒙学读物，都是为广大家长朋友所喜闻乐见的经典作品，对孩子的心智成长和性格形成具有非常积极的意义，历来为中国家庭教育所重视。我们在组织编写过程中，着力保证了图书内容的准确性，并尽可能提供了注音、注释和译文，以方便您辅导孩子学习。考虑到小读者的阅读习惯，我们为丛书配制了精美彩图，以增加阅读趣味。另还附赠动画 VCD 一张，以辅助小读者学习、读诵。

希望我们的努力能够为孩子们的成长提供些微帮助，也希望广大读者能不吝提出宝贵意见与建议。

青岛出版社

原　文

rén	zhī	chū	xìng	běn	shàn
人	之	初	性	本	善
xìng	xiāng	jìn	xí	xiāng	yuǎn
性	相	近	习	相	远
gǒu	bú	jiào	xìng	nǎi	qiān
苟	不	教	性	乃	迁
jiào	zhī	dào	guì	yǐ	zhuān
教	之	道	贵	以	专

初:开始的意思,这里指人刚出生的时候。

苟: 如果,假如。

乃: 于是。　迁: 变化。

译文

每个人生下来的时候，天性原本都是善良的，各人的性情也都差不多，只是因为成长过程中环境的不同，彼此的习性才有了好和坏的差别。如果对孩子不进行严格的教育，本来善良的本性就会变坏。而教育的方法，最重要的一点就是要专心致志，始终不懈。

原 文

xī mèng mǔ zé lín chǔ
昔孟母 择邻处

zǐ bù xué duàn jī zhù
子不学 断机杼

dòu yān shān yǒu yì fāng
窦燕山 有义方

jiào wǔ zǐ míng jù yáng
教五子 名俱扬

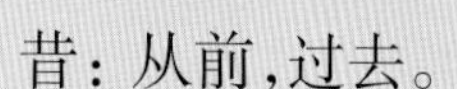

昔：从前，过去。

子：孟子，名轲，战国时邹国人，后世尊为“亚圣”。

机杼：机，织机；杼，梭子。

窦燕山：即窦禹钧，五代时人。 扬：远扬。

译文

战国时，孟子的母亲曾三次搬家，最后选择在学校旁边住下来，就是为了使孟子有个好的学习环境。一次孟子逃学，孟母就用刀割断织机上的布来教训儿子。五代时，有一个叫窦禹钧的人，很懂得教育孩子的方法，结果他的五个儿子后来都中了进士，名望很大。

原　文

yǎng bú jiào　fù zhī guò
养不教　父之过

jiào bù yán　shī zhī duò
教不严　师之惰

zǐ bù xué　fēi suǒ yí
子不学　非所宜

yòu bù xué　lǎo hé wéi
幼不学　老何为

养：抚养。

惰：懒惰，这里指失职。

宜：应该。

生养子女却不加以教诲,这是做父亲的过错;教育学生而不严格要求,那是做老师的失职。人在年纪小的时候不好好学习,是很不应该的;年幼时不学习,长大后能有什么作为?

原　文

yù bù zhuó bù chéng qì
玉不琢　不成器

rén bù xué bù zhī yì
人不学　不知义

wéi rén zǐ fāng shào shí
为人子　方少时

qīn shī yǒu xí lǐ yí
亲师友　习礼仪

琢：雕琢。　　器：有用的物体。

义：道义，伦理。

亲：亲近；尊敬。

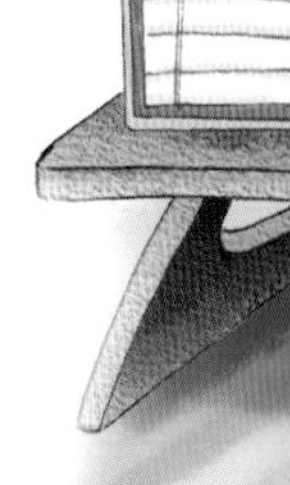

玉石如果不打磨，就难以成为精美的器具；人如果不学习，就不能掌握知识，懂得道理。做儿女的，从小就要亲近老师和朋友，以便从他们那里学到做人的基本道理。

原　文

xiāng jiǔ líng néng wēn xí

香九龄　能温席

xiào yú qīn suǒ dāng zhí

孝于亲　所当执

róng sì suì néng ràng lí

融四岁　能让梨

tì yú zhǎng yí xiān zhī

悌于长　宜先知

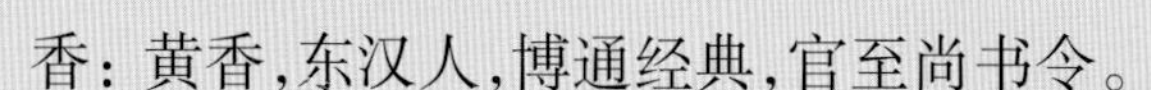

香：黄香，东汉人，博通经典，官至尚书令。

融：孔融，东汉人。　　悌：意为弟弟敬爱哥哥。

长：兄长。　　知：明白。

黄香九岁的时候，就懂得给爹爹暖被褥；孝顺父亲和母亲，这是为人儿女者应该做的。孔融年仅四岁的时候，就能把大梨让给哥哥，自己拿小的；这种尊敬兄长、友爱兄弟的德行，是每个人从小就应该知道的。

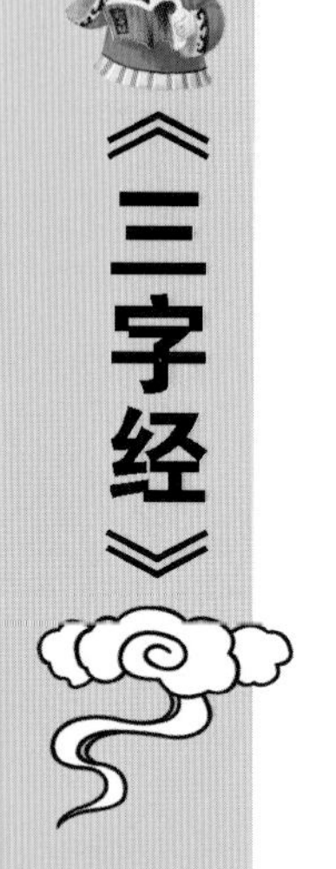

原　文

shǒu	xiào	tì	cì	jiàn	wén
首	孝	悌	次	见	闻
zhī	mǒu	shù	shí	mǒu	wén
知	某	数	识	某	文
yī	ér	shí	shí	ér	bǎi
一	而	十	十	而	百
bǎi	ér	qiān	qiān	ér	wàn
百	而	千	千	而	万

见：眼睛见到。

闻：耳朵听到。

数：数学，算术。

文：文字，文理。

做人第一重要的是孝顺父母、友爱兄弟，其次才是增广见闻、学习知识、明白数理的变化。要通过研读古圣先贤的文章来提高自己的修养，这样，十个一就成为十，十个十就成为百，十个百就成为千，十个千就成为万，如此累计下去，可以无穷无尽，成就人生的大境界。

原　文

sān cái zhě tiān dì rén
三才者　天地人

sān guāng zhě rì yuè xīng
三光者　日月星

sān gāng zhě jūn chén yì
三纲者　君臣义

fù zǐ qīn fū fù shùn
父子亲　夫妇顺

三光：太阳、月亮、星星三者都是地球上的光线来源，故称为“三光”。

纲：要点，法则。

译文

古书所谓“三才”，指的就是天、地、人；古书所谓“三光”，指的是日光、月光、星光。人们所说的“三纲”，是说君王与臣子要有忠、爱之义，父母子女之间要相亲相爱，夫妻之间要和睦相处。

原 文

yuē chūn xià yuē qiū dōng
曰春夏 曰秋冬

cǐ sì shí yùn bù qióng
此四时 运不穷

yuē nán běi yuē xī dōng
曰南北 曰西东

cǐ sì fāng yìng hū zhōng
此四方 应乎中

运：运行，转动。

穷：穷尽，完了。

中：中央，中心。

译文

春夏秋冬四个季节，循环往复，永远没有尽头。东南西北四个方位，以中央为基准，互相对应。

《三字经》

原　文

yuē	shuǐ	huǒ	mù	jīn	tǔ
曰	水	火	木	金	土
cǐ	wǔ	xíng	běn	hū	shù
此	五	行	本	乎	数
yuē	rén	yì	lǐ	zhì	xìn
曰	仁	义	礼	智	信
cǐ	wǔ	cháng	bù	róng	wěn
此	五	常	不	容	紊

五行：我国古代思想家认为，水、火、木、金、土五种物质是构成万物不可缺少的基本元素。

本：根据，起源。

数：术数的简称。以阴阳五行、生、克、共、化的原理，推测人事吉凶，叫做术数，也叫数命、数理、命理等。

常：常规，准则。　　紊：乱。

译文

水、火、木、金、土，是古人所说的五行，它贯通于万事万物，根本来源在于天数。仁、义、礼、智、信，是人们所说的五常，这五条基本的处事准则，不容许混淆。

原　文

dào	liáng	shū	mài	shǔ	jì
稻	粱	菽	麦	黍	稷
cǐ	liù	gǔ	rén	suǒ	shí
此	六	谷	人	所	食
mǎ	niú	yáng	jī	quǎn	shǐ
马	牛	羊	鸡	犬	豕
cǐ	liù	chù	rén	suǒ	sì
此	六	畜	人	所	饲

注释

菽：豆类总称。　　　黍：玉米。

稷：谷物的一种。

豕：猪。

译文

稻、粱、菽、麦、黍、稷统称为六谷，这些都是人们生活必需的粮食。马、牛、羊、鸡、犬、猪统称为六畜，这些都是人类饲养的家畜。

原　文

yuē	xǐ	nù	yuē	āi	jù
曰	喜	怒	曰	哀	惧
ài	wù	yù	qī	qíng	jù
爱	恶	欲	七	情	具
páo	tǔ	gé	mù	shí	jīn
匏	土	革	木	石	金
sī	yǔ	zhú	nǎi	bā	yīn
丝	与	竹	乃	八	音

哀：悲伤。　　惧：害怕。

恶：憎恨。　　欲：欲望。

具：具备。

高兴叫做喜，生气叫做怒，悲伤叫做哀，害怕叫做惧，心里喜欢叫做爱，讨厌叫做恶，内心很贪恋叫做欲，合起来叫七情——这是人生下来就有的七种感情。古代人把制造乐器的材料分为八种，即匏瓜、黏土、皮革、木块、石头、金属、丝线与竹子，由这八种材料制成的乐器发出来的声音，就是“八音”。

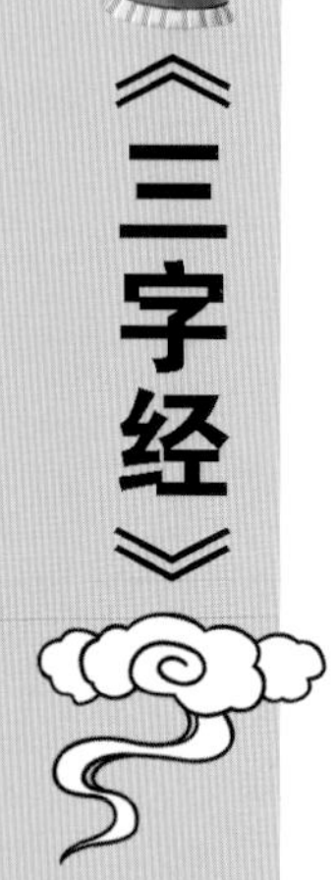

原　文

gāo	zēng	zǔ	fù	ér	shēn
高	曾	祖	父	而	身
shēn	ér	zǐ	zǐ	ér	sūn
身	而	子	子	而	孙
zì	zǐ	sūn	zhì	xuán	zēng
自	子	孙	至	玄	曾
nǎi	jiǔ	zú	rén	zhī	lún
乃	九	族	人	之	伦

九族：九代，由自己往上推四代，是父亲、祖父、曾祖父、高祖父；再由自己往下推四代是儿子、孙子、曾孙、玄孙；连自己共为九代。

伦：排列的次序。

译文

高祖父生曾祖父，曾祖父生祖父，祖父生父亲，父亲生我，我生儿子，儿子再生孙子，由自己的儿子、孙子再接下去，就是曾孙和玄孙。从高祖父到玄孙称为“九族”，这“九族”代表着人的长幼尊卑秩序和家族血统的承续关系。

原　文

fù	zǐ	ēn	fū	fù	cóng
父	子	恩	夫	妇	从
xiōng	zé	yǒu	dì	zé	gōng
兄	则	友	弟	则	恭
zhǎng	yòu	xù	yǒu	yǔ	péng
长	幼	序	友	与	朋
jūn	zé	jìng	chén	zé	zhōng
君	则	敬	臣	则	忠
cǐ	shí	yì	rén	suǒ	tóng
此	十	义	人	所	同

义：即“宜”，正确，合乎准则。

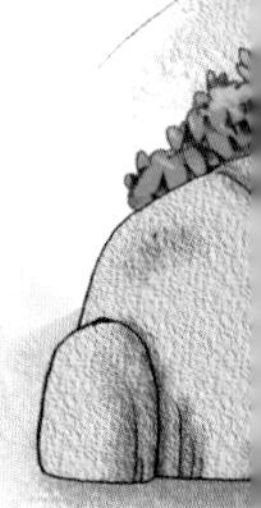

父亲与儿子之间要注重相互的恩情，夫妻之间的感情要和顺，哥哥对弟弟要友爱，弟弟对哥哥则要尊敬。年长的和年幼的交往要注意长幼尊卑之序；朋友相处应该互相讲信用。如果君主能尊重臣子，臣子就会对他忠心耿耿。前面提到的十义：父慈、子孝、夫和、妻顺、兄友、弟恭、朋信、友义、君敬、臣忠，人人都应遵守。

原 文

fán xùn méng xū jiǎng jiū
凡 训 蒙 须 讲 究

xiáng xùn gǔ míng jù dòu
详 训 诂 明 句 读

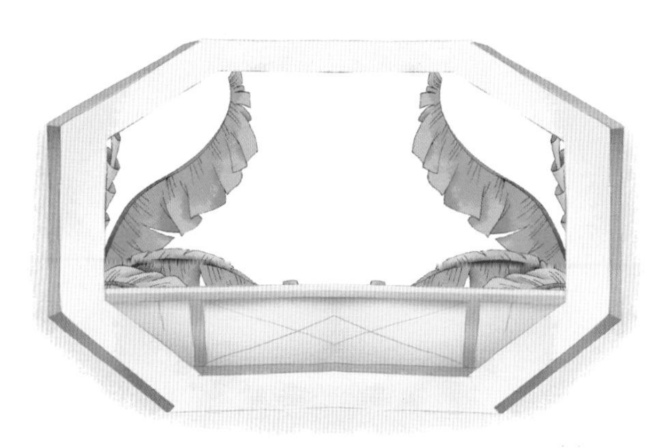

训蒙：指儿童的启蒙教育。训，教导；蒙，蒙昧无知。

训诂：解释古书文字的意义。

句读：即标点，这里指断句。

译文

凡是教导初学的儿童，一定要讲究教学方法，必须把每个字都讲清楚，把每句话都解释明白，还要使学童读书时懂得断句。

原　文

wéi xué zhě　bì yǒu chū
为学者　必有初

xiǎo xué zhōng　zhì sì shū
小学终　至四书

lún yǔ zhě　èr shí piān
论语者　二十篇

qún dì zǐ　jì shàn yán
群弟子　记善言

小学：书名，宋人朱熹著。

四书：《论语》、《孟子》、《大学》、《中庸》四部书的总称。

译文

读书求学，必须有一个好的开始，这样才能奠定坚实的基础。因此首先应该读朱熹的《小学》，然后才可以读“四书”。“四书”之一的《论语》，总共有二十篇，是孔子的学生记录孔子的言论、思想的一本书。

原 文

mèng zǐ zhě qī piān zhǐ
孟子者 七篇止

jiǎng dào dé shuō rén yì
讲道德 说仁义

zuò zhōng yōng zǐ sī bǐ
作中庸 子思笔

zhōng bù piān yōng bú yì
中不偏 庸不易

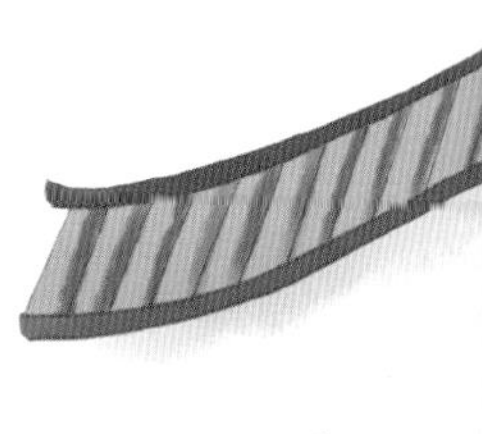

孟子：书名，孟子著。

偏：偏差。

易：改变。

《孟子》这本书共有七篇，宣讲仁义道德为立身之本。《中庸》一书的作者是孔子的孙子子思。“中”是不偏不倚的意思；“庸”是不易、不变的意思。《中庸》讲述的是不偏于一方、永不改变的天下至理。

原 文

zuò dà xué　nǎi zēng zǐ
作大学　乃曾子

zì xiū qí　zhì píng zhì
自修齐　至平治

xiào jīng tōng　sì shū shú
孝经通　四书熟

rú liù jīng　shǐ kě dú
如六经　始可读

大学：书名，孔子学生曾参(shēn)著。

修：修身。

治：治国平天下。

写《大学》的是孔子的学生曾参，他提出为人立世应做到“修身齐家，治国平天下”。读懂了《孝经》，并且熟知了“四书”，才可以进一步读“六经”这样深奥的书。

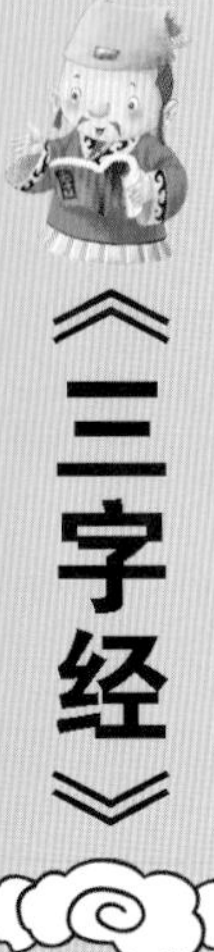

原　文

shī shū yì lǐ chūn qiū
诗 书 易 礼 春 秋

hào liù jīng dāng jiǎng qiú
号 六 经 当 讲 求

yǒu lián shān yǒu guī cáng
有 连 山 有 归 藏

yǒu zhōu yì sān yì xiáng
有 周 易 三 易 详

诗、书、易、礼、春秋：“六经”之目，“礼”指《礼记》、《周礼》两本书。当时《周礼》列于“六经”，后去之，为“五经”，与“四书”并称。

连山、归藏、周易：三种书。

译文

《诗经》、《尚书》、《易经》、《周礼》、《礼记》和《春秋》统称“六经”，应当认真研习。《连山》、《归藏》、《周易》三部书合称“三易”，应该详尽地研读。

原　文

yǒu	diǎn	mó	yǒu	xùn	gào
有	典	谟	有	训	诰
yǒu	shì	mìng	shū	zhī	ào
有	誓	命	书	之	奥
wǒ	zhōu	gōng	zuò	zhōu	lǐ
我	周	公	作	周	礼
zhù	liù	guān	cún	zhì	tǐ
著	六	官	存	治	体

典、谟、训、诰、誓、命：皆为古代文体形式。

奥：深奥，难懂。

译文

《尚书》分为六个部分：一、典，是立国的基本原则；二、谟，即治国计划；三、训，即大臣的态度；四、诰，即国君的通告；五、誓，即兴兵文告；六、命，即国君的命令。周公写了《周礼》一书，其中记载着当时六官官制以及国家的组成情况。

原　文

dà xiǎo dài　zhù lǐ jì
大小戴，注礼记，

shù shèng yán　lǐ yuè bèi
述圣言，礼乐备。

yuē guó fēng　yuē yǎ sòng
曰国风，曰雅颂，

hào sì shī　dāng fěng yǒng
号四诗，当讽咏。

大小戴：指西汉经学家戴德和他的侄子戴圣。戴德选取古代各种有关礼仪的论著编成《大戴礼记》八十五篇，后戴圣加以删减，编成《小戴礼记》四十六篇（后人增补三篇，合计为四十九篇），即《礼记》。

四诗：《诗经》的内容分为“风”、“雅”、“颂”三大类，“雅”又分为“大雅”、“小雅”，所以合称“四诗”。

讽咏：背诵、熟读。

戴德和戴圣叔侄两人整理并且注释《礼记》，传述和阐释了圣贤的著作，使后代人知道了前代的典章制度以及有关礼乐的情形。“国风”、“大雅”、“小雅”、“颂”合称“四诗”，这些诗歌都值得我们去背诵吟咏。

原　文

shī jì wáng chūn qiū zuò
诗既亡　春秋作

yù bāo biǎn bié shàn è
寓褒贬　别善恶

sān zhuàn zhě yǒu gōng yáng
三传者　有公羊

yǒu zuǒ shì yǒu gǔ liáng
有左氏　有穀梁

褒：表扬，赞赏。　贬：批评，指责。
传：解说经书的注释性文字。　公羊：公羊高。
左氏：左丘明。　穀梁：穀梁赤。

采诗制度废除后，孔子编写了《春秋》。书中隐含着对现实政治的褒贬和对善恶行为的辨析。后来注释《春秋》的“传”主要有三部：《公羊传》、《左传》和《榖梁传》。

原　文

jīng jì míng fāng dú zǐ
经既明　方读子

cuō qí yào jì qí shì
撮其要　记其事

wǔ zǐ zhě yǒu xún yáng
五子者　有荀扬

wén zhōng zǐ jí lǎo zhuāng
文中子　及老庄

既：已经。　　方：才。

子：我国古代图书按经、史、子、集分为四类，凡能自成一家的著作即归为子书。

五子：荀子名卿，战国时楚人，著《荀子》一书；扬子即扬雄，汉时成都人，著有《太玄经》、《法言》二书；文中子，姓王名通，著有《元经》、《中说》二书；另外“二子”指老子和庄子。

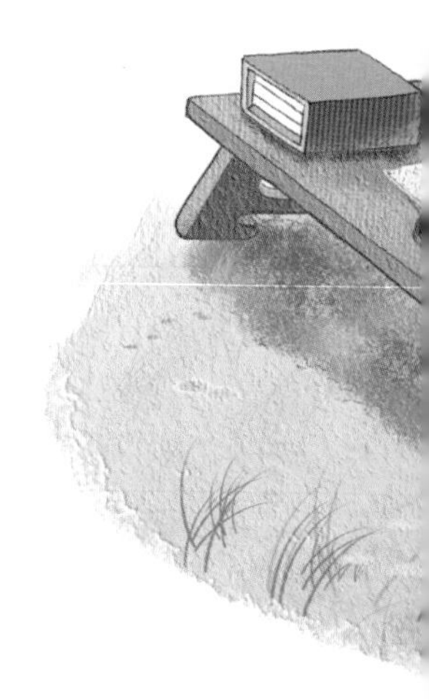

译文

经书读懂后，才可以读诸子著作。读的时候，要归纳其中的要点，熟记书中的事例。所谓子书的“五子”，指的是荀子、扬雄、文中子、老子、庄子的书。

原 文

jīng zǐ tōng dú zhū shǐ
经子通 读诸史

kǎo shì xì zhī zhōng shǐ
考世系 知终始

史：史书。

世系：家族传承的谱系。

译文

经书、子书读完后，就该读各种史书了。读史时必须弄清楚各朝各代的世系，明白其盛衰的原因，如此才能从历史中汲取教训。

原　文

zì 自	xī 羲	nóng 农	zhì 至	huáng 黄	dì 帝
hào 号	sān 三	huáng 皇	jū 居	shàng 上	shì 世
táng 唐	yǒu 有	yú 虞	hào 号	èr 二	dì 帝
xiāng 相	yī 揖	xùn 逊	chēng 称	shèng 盛	shì 世
xià 夏	yǒu 有	yǔ 禹	shāng 商	yǒu 有	tāng 汤
zhōu 周	wén 文	wǔ 武	chēng 称	sān 三	wáng 王

逊：让，退位。

译文

伏羲氏、神农氏和黄帝被尊称为“三皇”，他们都是上古时代的帝王。黄帝之后，有唐尧和虞舜二位帝王。尧认为自己的儿子不肖，就把帝位禅让给了才德兼备的舜。在两位帝王治理下，天下太平，人人称颂。夏朝的开国君主是禹，商朝的开国君主是汤，周朝的开国君主是文王和武王。这几个开国君主被后人称为“三王”。

原　文

xià chuán zǐ　jiā tiān xià
夏传子　家天下

sì bǎi zǎi　qiān xià shè
四百载　迁夏社

tāng fá xià　guó hào shāng
汤伐夏　国号商

liù bǎi zǎi　zhì zhòu wáng
六百载　至纣亡

载：年。

社：指社稷，原指古代帝王诸侯所祭祀的土地神和谷神，后来用作国家的代称。

禹把王位传给了儿子，从此天下就为一个家族所有。经过四百多年，夏的统治结束了。商汤起兵灭掉夏，建立了商朝。商朝前后延续了六百多年的时间，到了纣王时才灭亡。

原 文

zhōu wǔ wáng　shǐ zhū zhòu
周武王　始诛纣

bā bǎi zǎi　zuì cháng jiǔ
八百载　最长久

zhōu zhé dōng　wáng gāng zhuì
周辙东　王纲坠

chěng gān gē　shàng yóu shuì
逞干戈　尚游说

诛：诛伐，杀死。

辙：本意是车轮压出的痕迹，在这里是迁移的意思。

逞：炫耀，显示。

游说：政客以口才向当权者提供谋略。

周武王出兵攻打商朝，杀了纣王，建立了周王朝。周朝的历史延续了八百多年，是我国历史上最长久的一个朝代。周平王东迁后，对诸侯的控制力越来越弱，诸侯国之间时常发生战争，与此同时，游说之风开始大行其道。

原　文

shǐ	chūn	qiū	zhōng	zhàn	guó
始	春	秋	终	战	国
wǔ	bà	qiáng	qī	xióng	chū
五	霸	强	七	雄	出
yíng	qín	shì	shǐ	jiān	bìng
嬴	秦	氏	始	兼	并
chuán	èr	shì	chǔ	hàn	zhēng
传	二	世	楚	汉	争

五霸：指齐桓公、晋文公、秦穆公、宋襄公、楚庄王。

七雄：指齐、楚、燕、赵、韩、魏、秦等七国。

嬴秦氏：秦国君姓嬴，所以秦也称为嬴秦，这里指秦始皇嬴政。

二世：名胡亥，秦始皇的儿子。

楚：指西楚霸王项羽。　　汉：指汉高祖刘邦。

东周前期称为春秋，后期称为战国。春秋时代以齐、晋、秦、宋、楚最为强大，史称“五霸”；战国时代以齐、楚、燕、赵、韩、魏、秦实力最为雄厚，并称“七雄”。战国末年，秦国的势力日渐强大，把其他诸侯国都灭掉了，建立了统一的秦王朝。秦朝江山传到秦二世胡亥，天下又开始大乱，形成楚汉相争的局面。

原　文

gāo	zǔ	xīng	hàn	yè	jiàn
高	祖	兴	汉	业	建
zhì	xiào	píng	wáng	mǎng	cuàn
至	孝	平	王	莽	篡
guāng	wǔ	xīng	wéi	dōng	hàn
光	武	兴	为	东	汉
sì	bǎi	nián	zhōng	yú	xiàn
四	百	年	终	于	献

篡：夺取。

光武：汉光武帝刘秀。

献：汉献帝，汉朝末代皇帝。

刘邦创建了西汉王朝，后世尊其为汉高祖。到了汉孝平帝时期，外戚王莽篡夺了皇位。汉光武帝刘秀起兵讨伐王莽，复兴了汉室，历史上称为东汉。西汉、东汉加起来总共延续了四百多年，到汉献帝时灭亡。

原　文

wèi	shǔ	wú	zhēng	hàn	dǐng
魏	蜀	吴	争	汉	鼎
hào	sān	guó	qì	liǎng	jìn
号	三	国	迄	两	晋
sòng	qí	jì	liáng	chén	chéng
宋	齐	继	梁	陈	承
wéi	nán	cháo	dū	jīn	líng
为	南	朝	都	金	陵

鼎：古代曾用鼎作为传国的宝器，因以喻王位、帝业。

迄：到。　　两晋：西晋、东晋。

南朝：宋、齐、梁、陈都建都南京，历史上称为南朝。

金陵：南京。

译文

东汉末年，魏、蜀、吴争夺天下，形成三国相争的局面。后来魏灭了蜀国和吴国，但司马氏集团篡夺了曹魏的江山，建立了晋朝。晋分为西晋和东晋两个时期。东晋之后，宋、齐相继建立，梁、陈接着建国，国都都在南京，历史上称为南朝。

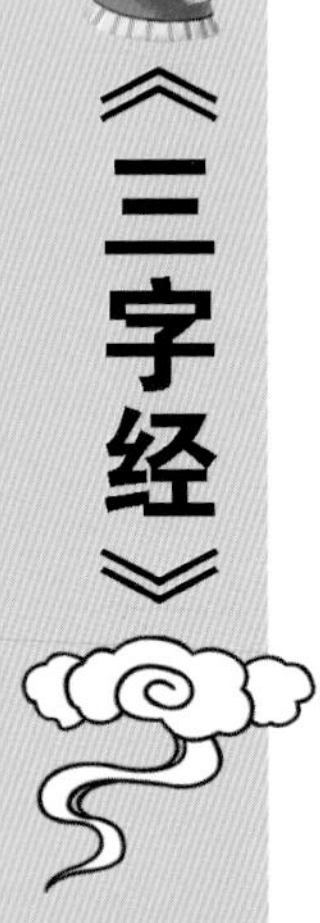

原 文

běi yuán wèi fēn dōng xī
北元魏 分东西

yǔ wén zhōu yǔ gāo qí
宇文周 与高齐

dài zhì suí yī tǔ yǔ
迨至隋 一土宇

bú zài chuán shī tǒng xù
不再传 失统绪

迨：及、等到。

失统绪：失去了帝业。

北朝先是元魏，然后分为东、西二魏，再后来又被宇文觉建立的北周、高洋建立的北齐所取代。隋文帝杨坚统一了天下，建立了隋朝。但杨坚的儿子隋炀帝杨广即位后，荒淫无道，隋朝很快就灭亡了。

原 文

táng gāo zǔ qǐ yì shī
唐高祖 起义师

chú suí luàn chuàng guó jī
除隋乱 创国基

èr shí chuán sān bǎi zǎi
二十传 三百载

liáng miè zhī guó nǎi gǎi
梁灭之 国乃改

唐高祖：李渊。
义师：伸张正义的军队。
创：开创。

译文

唐高祖李渊起兵反隋，平定了各地战乱，开创了唐朝基业。唐朝皇位传承了二十代，立国近三百年。到了唐末，朱全忠篡权，改国号为梁，唐朝灭亡了。

原 文

liáng táng jìn jí hàn zhōu
梁 唐 晋 及 汉 周

chēng wǔ dài jiē yǒu yóu
称 五 代 皆 有 由

yán sòng xīng shòu zhōu shàn
炎 宋 兴 受 周 禅

shí bā chuán nán běi hùn
十 八 传 南 北 混

五代：五个朝代。唐朝以后有梁、唐、晋、汉、周五代，称为五代。

由：理由，原因。

后梁、后唐、后晋、后汉和后周五个朝代的更替时期，历史上称为五代。这五个朝代的历史都很短暂，其兴衰、更替都有着一定的原因。宋太祖赵匡胤接受了后周皇帝“禅让”的帝位，建立宋朝。宋朝分为北宋和南宋两个时期，总共传了十八代皇帝。

原　文

liáo yǔ jīn　dì hào fēn
辽与金　帝号纷

dài miè liáo　sòng yóu cún
迨灭辽　宋犹存

zhì yuán xīng　jīn xù xiē
至元兴　金绪歇

yǒu sòng shì　yì tóng miè
有宋世　一同灭

迨：及至。
绪：国运。

译文

与宋朝同时存在的还有北方的辽国与金国，他们的首领也都称帝。等到金国灭掉辽国的时候，南宋王朝仍然存在着。后来，元朝渐渐地兴起壮大，金国、宋朝都被元朝灭掉了。

原　文

lì zhōng guó　jiān róng dí
莅中国　兼戎狄

jiǔ shí nián　guó zuò fèi
九十年　国祚废

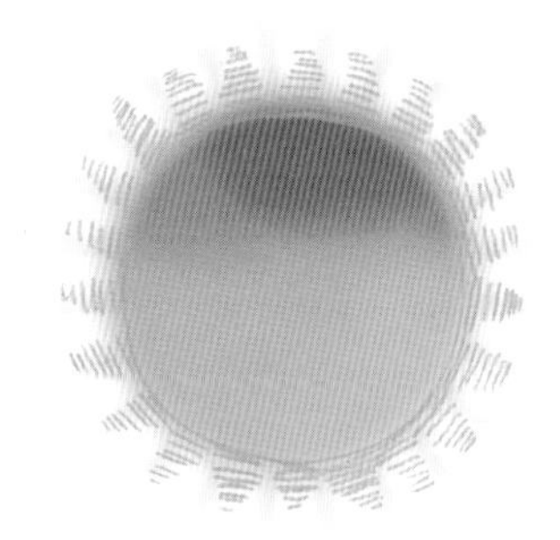

莅：到。

戎狄：古代称西方民族为戎，北方民族为狄。

祚：帝位。

译文

蒙古人进入中原，征服了边疆各个部族，建立了统一的元帝国。在统治了九十年之后，元朝政权覆灭。

原　文

míng	tài	zǔ	jiǔ	qīn	shī
明	太	祖	久	亲	师
chuán	jiàn	wén	fāng	sì	sì
传	建	文	方	四	祀
qiān	běi	jīng	yǒng	lè	sì
迁	北	京	永	乐	嗣
dài	chóng	zhēn	méi	shān	shì
迨	崇	祯	煤	山	逝

嗣：继承。

迨：等到。

译文

明太祖朱元璋,经过多年征战,终于建立了明王朝。当帝位传到建文帝手上的时候,他仅仅在皇帝的位置上待了四年,就被朱棣赶下了皇位。朱棣把国都迁到北京,继承了皇位。最后一个皇帝崇祯,因为农民起义的缘故,被迫在煤山自缢,明朝灭亡。

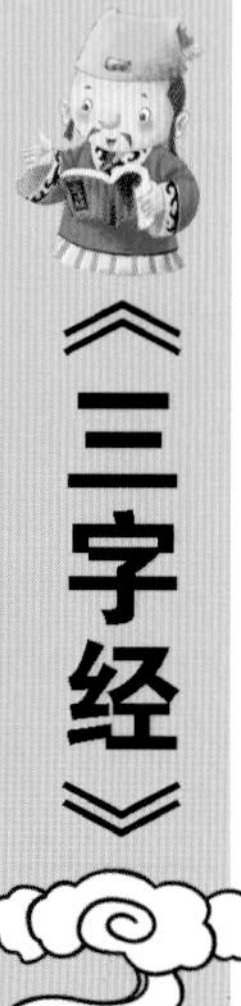

原　文

niàn	èr	shǐ	quán	zài	zī
廿	二	史	全	在	兹
zǎi	zhì	luàn	zhī	xīng	shuāi
载	治	乱	知	兴	衰

廿：二十。

兹：此，这。

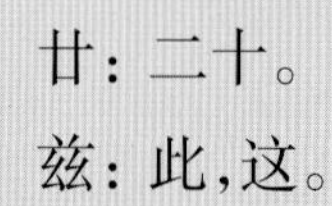

从古到今二十二朝历史的大体情况，全部都写在这里了。这里面记载了盛世和乱世的情况，从中可以了解各朝兴衰成败的原因。

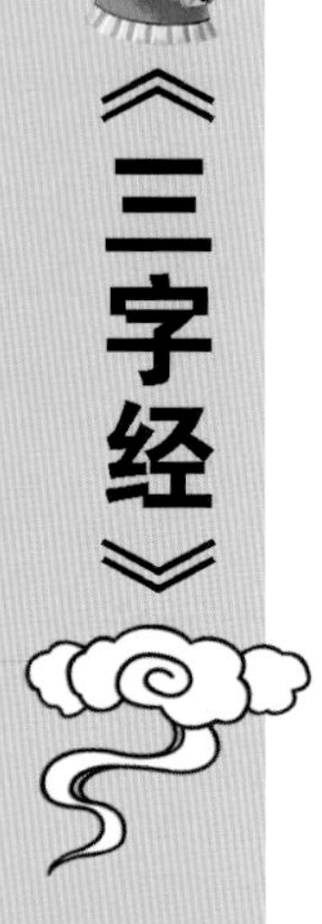

原　文

dú shǐ zhě　kǎo shí lù
读史者　考实录

tōng gǔ jīn　ruò qīn mù
通古今　若亲目

kǒu ér sòng　xīn ér wéi
口而诵　心而惟

zhāo yú sī　xī yú sī
朝于斯　夕于斯

通：通晓，透彻了解。

诵：大声朗读。　　惟：思维，思考。

斯：代名词，这。

研读历史时，要对记载历史事实的资料进行辨析，如此才能真正通晓古往今来的历史，像自己亲身经历过一样。在读书时，不仅口中要念，还要用心思考和记忆。只有早早晚晚都把精力放到学习上，才能真正地学好。

原　文

xī	zhòng	ní	shī	xiàng	tuó
昔	仲	尼	师	项	橐
gǔ	shèng	xián	shàng	qín	xué
古	圣	贤	尚	勤	学
zhào	zhōng	lìng	dú	lǔ	lún
赵	中	令	读	鲁	论
bǐ	jì	shì	xué	qiě	qín
彼	既	仕	学	且	勤

仲尼：孔子名丘，字仲尼，春秋时鲁国人。

项橐：相传孔子曾经向七岁的项橐请教过琴艺。

赵中令：赵普，宋朝人，曾任中书令。

鲁论：书名，《论语》三种版本之一，是后世最为普及的《论语》版本。

仕：做官。

译文

孔子已经很有学问、很有名了，还愿意虚心地向七岁的项橐请教问题。古代的圣贤之人，尚且如此勤学好问，我们更应该不断地学习、上进。宋朝人赵普，已经官至中书令，还时时阅读《论语》一书，你看他官做得这么大了，学习却还是这么勤奋。

原 文

pī pú biān xiāo zhú jiǎn
披蒲编 削竹简

bǐ wú shū qiě zhī miǎn
彼无书 且知勉

tóu xuán liáng zhuī cì gǔ
头悬梁 锥刺股

bǐ bú jiào zì qín kǔ
彼不教 自勤苦

蒲：草名，又叫草蒲，蒲编就是用蒲草做的书。

竹简：用竹削成竹片，在竹简上写字。

译文

西汉人路温舒家贫无钱买书，就将蒲草编成席，把书抄到席子上用心研读；汉朝人公孙弘则削了很多竹片，抄录《春秋》来读。他们虽买不起书，但还不忘勤奋学习。晋朝人孙敬夜晚读书时把自己的头发拴在屋梁上，防止自己打瞌睡；战国人苏秦读书，每到困倦时就用锥子刺大腿。他们不需别人教导、督促而能自觉地刻苦学习。

原　文

rú náng yíng　rú yìng xuě
如囊萤　如映雪

jiā suī pín　xué bú chuò
家虽贫　学不辍

rú fù xīn　rú guà jiǎo
如负薪　如挂角

shēn suī láo　yóu kǔ zhuó
身虽劳　犹苦卓

囊：原意为袋子，这里指装在袋子中。

辍：中断，停顿。　　负：背。

挂角：传说隋代人李密替人放牛时，常把一卷书挂在牛角上，方便随时阅读。

译文

晋朝人车胤，由于家中贫苦，无钱买油点灯，便抓些萤火虫装到纱袋中，利用一闪一闪的微弱荧光照明来读书；另一位叫孙康的，也因为贫寒而在冬夜里借着雪光看书。这两人家里虽然贫穷，但却能坚持学习。汉朝人朱买臣挑柴的时候，把书挂在扁担的一头，一边走一边看书；隋朝人李密放牛的时候，把书挂在牛角上，以方便随时阅读。他们尽管身体很劳累，但仍然坚持在艰苦的环境下读书。

原　文

sū lǎo quán　èr shí qī
苏老泉　二十七

shǐ fā fèn　dú shū jí
始发愤　读书籍

bǐ jì lǎo　yóu huǐ chí
彼既老　犹悔迟

ěr xiǎo shēng　yí zǎo sī
尔小生　宜早思

苏老泉：苏洵，号老泉，宋代著名文学家。

小生：年轻人。

宋朝的苏洵,到二十七岁那年,才忽然觉悟,开始发奋学习,后来成了著名的文学家。他感叹自己醒悟的时候年纪已经大了,很后悔年少时没有好好学习。可见,你们这些年轻人应珍惜大好时光,发奋努力学习。

原　文

ruò liáng hào　bā shí èr
若梁灏，八十二，

duì dà tíng　kuí duō shì
对大廷，魁多士。

bǐ jì chéng　zhòng chēng yì
彼既成，众称异，

ěr xiǎo shēng　yí lì zhì
尔小生，宜立志。

“若梁灏”以下四句：史载，梁灏中状元时年二十二，终年四十二岁。张为才先生认为“八十二”或系“二十二”之讹。如此，一则合于史实，二来也更合乎行文逻辑：上文“苏老泉，二十七……彼既老，犹悔迟”讲的是老犹发愤，这里举梁灏说的是青年成才，下文的“莹八岁”、“泌七岁”则讲幼年好学。

魁：参加科举考试考中第一名。

既：已经。

译文

五代的梁灏，在八十二岁的时候考中进士，并且在朝廷举行的殿试中对答如流，最后独占鳌头，中了状元。梁灏这么大年纪的人尚能好学不倦，取得成功，令天下人都感到惊异，你们这些年轻人更应该及早确立志向，发奋努力。

原　文

yíng bā suì néng yǒng shī
莹八岁　能咏诗

mì qī suì néng fù qí
泌七岁　能赋棋

bǐ yǐng wù rén chēng qí
彼颖悟　人称奇

ěr yòu xué dāng xiào zhī
尔幼学　当效之

莹：祖莹，北齐人，相传八岁就能做诗。

咏：吟唱，吟诵。

泌：李泌，唐朝人，喜欢读书，七岁时就写出了“棋赋”。

译文

北齐的祖莹，八岁就能做诗；唐朝的李泌，七岁就能以下棋为题作文。他们二人都聪明绝顶，令人称奇。你们应当以他们为榜样，从小努力用功读书才对。

原 文

cài wén jī néng biàn qín
蔡文姬 能辨琴

xiè dào yùn néng yǒng yín
谢道韫 能咏吟

bǐ nǚ zǐ qiě cōng mǐn
彼女子 且聪敏

ěr nán zǐ dāng zì jǐng
尔男子 当自警

注释

蔡文姬：汉朝著名文学家蔡邕之女，名琰，字文姬。

谢道韫：晋朝著名才女，诗才敏捷。

译文

汉代女子蔡文姬精通音律，能辨识琴音；晋代女子谢道韫才思敏捷，能吟诗作对。两个女孩子尚且如此聪明，你们作为堂堂男子汉，更应时时警醒自己，努力充实自己。

原　文

táng	liú	yàn	fāng	qī	suì
唐	刘	晏	方	七	岁
jǔ	shén	tóng	zuò	zhèng	zì
举	神	童	作	正	字
bǐ	suī	yòu	shēn	yǐ	shì
彼	虽	幼	身	已	仕
ěr	yòu	xué	miǎn	ér	zhì
尔	幼	学	勉	而	致

刘晏：唐朝人，相传七岁能做诗、写文章，被公认为“神童”。

方：才，仅仅。　　正字：官名，主管校正书籍文字。

尔：你。　　致：得到，达成。

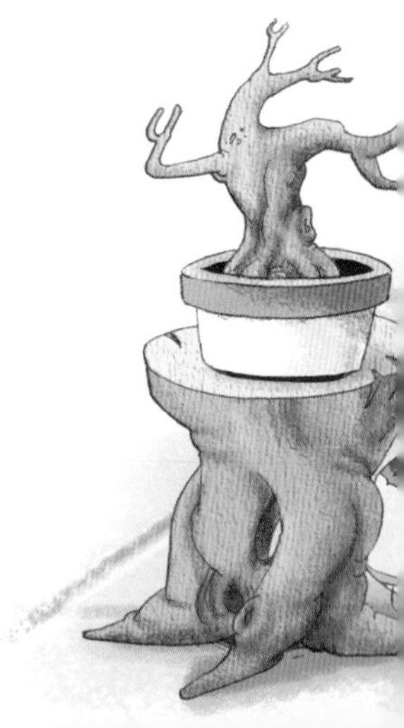

唐朝的刘晏，年仅七岁，就被人们推为神童，担任正字的官职。虽然他年纪很小，但已经做了官，担当起重任。你们如果从小就勤勉努力，也会像他那样获得成功。

原　文

yǒu	wéi	zhě	yì	ruò	shì
有	为	者	亦	若	是
quǎn	shǒu	yè	jī	sī	chén
犬	守	夜	鸡	司	晨
gǒu	bù	xué	hé	wéi	rén
苟	不	学	曷	为	人
cán	tǔ	sī	fēng	niàng	mì
蚕	吐	丝	蜂	酿	蜜
rén	bù	xué	bù	rú	wù
人	不	学	不	如	物

若：像，如。　　是：这样。

司：管理。　　苟：如果。

曷：同“何”，怎么。

译文

凡是有作为的人，都与上面列举的这些古圣先贤一样。狗为人守夜看家，鸡替人打鸣报晓，那是它们的本分。一个人如果不学无术的话，又怎么算得上是人呢？蚕能吐丝，蜂能酿蜜。一个人如果不学习，不知道以知识、技能来实现自己的价值，那简直连小动物都不如。

原 文

yòu ér xué zhuàng ér xíng
幼而学 壮而行

shàng zhì jūn xià zé mín
上致君 下泽民

yáng míng shēng xiǎn fù mǔ
扬名声 显父母

guāng yú qián yù yú hòu
光于前 裕于后

致：送达，呈递。

泽：给予恩泽，施惠于……

裕：富足，这里指使……得到恩惠。

译文

我们小时候应该努力学习，长大后才能学以致用，施展抱负，上可报效国家，下可为民谋利。这样既能使自己美名远扬，又能使父母得到荣耀；既为先辈增添无上荣光，又为后代留下无尽恩惠。

原　文

rén	yí	zǐ	jīn	mǎn	yíng
人	遗	子	金	满	籝
wǒ	jiào	zǐ	wéi	yì	jīng
我	教	子	惟	一	经
qín	yǒu	gōng	xì	wú	yì
勤	有	功	戏	无	益
jiè	zhī	zāi	yí	miǎn	lì
戒	之	哉	宜	勉	力

遗：留下。　　籝：竹子编的箱子。

惟：只有。　　戏：玩乐。

戒：防备，提醒。

译文

别人留给子孙后代的，是满箱子的财宝，而我教育儿孙的，只有这些经典，希望他们能好好地读书，明白为人处世的道理。勤奋努力地学习终会有所成就，只顾玩乐总不会有好结果。你们要时时提醒自己，勉励自己刻苦学习啊！

说　明

本书逐页配有全彩插图,图文紧密相关,目的在于帮助小读者理解文意。考虑到时代背景和小读者的实际情况,我们在配图时并不完全紧扣历史实际,如:东汉以前我国没有纸质书籍,而是竹、木简册,本书图画则仍直接画成纸质书籍的形象;全书所画旗帜、书籍,上标文字如若严格据史实表述,则应都是繁体汉字,我们也没有这样处理,除了个别地方是繁体汉字外,绝大多数都标示为简体字。为防本书中类似情况引起读者疑惑,特此说明。

笔墨当随时代,尊古而不泥古,这样的处理方法应该是比较恰当的,俾众周知,并诚望理解。

图书在版编目(CIP)数据

三字经/张为才主编.—青岛:青岛出版社,2006.1

(国学小书坊)

ISBN 978-7-5436-3507-4

Ⅰ.三...　Ⅱ.张...　Ⅲ.汉语-古代-启蒙读物

Ⅳ.H194.1

中国版本图书馆CIP数据核字(2005)第133201号

书　　名　国学小书坊·三字经[最新版]
主　　编　张为才
责任编辑　谢　蔚　刘耀辉　**E-mail**:bolanggupku@163.com
绘　　图　画　童
装帧设计　月影翔
封面设计　乔　峰
出版发行　青岛出版社(青岛市徐州路77号;266071)
本社网址　http://www.qdpub.com
邮购电话　13335059110　0532—80998664
照　　排　青岛正方文化传播有限公司
制　　版　青岛人印设计制版有限公司
印　　刷　青岛海蓝印刷有限责任公司
出版日期　2008年10月第4版　2010年3月第14次印刷
开　　本　24开(889mm×1194mm)
印　　张　4.25
书　　号　ISBN 978-7-5436-3507-4
定　　价　13.80元(附赠价值6元VCD光盘一张)
编校质量、盗版监督免费服务电话　**8009186216**
青岛版图书售出后如发现印装质量问题,请寄回青岛出版社印刷物资处调换。
电话:0532—80998826

本书建议陈列类别:少儿教育

国学小书坊系列

《三字经》　《背唐诗》　《读〈论语〉》

《百家姓》　《背古诗》　《背〈老子〉》

《千字文》　《学成语》　《对对联》

《弟子规》　《读寓言》　《神童诗》